À la saint-glinglin...

100

EXPRESSIONS FAVORITES
DE NOS GRANDS-MÈRES

par Laurence Caracalla

... on sera Gros-Jean comme devant !

LE FIGARO
littéraire

PRÉFACE
par Laurence Caracalla

S i nos grands-mères tiennent une place à part dans notre cœur, ce n'est pas seulement parce qu'elles nous donnaient le meilleur d'elles-mêmes. On les écoutait aussi, ébloui par leur langage, bien différent du nôtre, plus sophistiqué parfois, plus rationnel toujours. Mais la langue évolue, surtout quand elle est populaire. Et beaucoup de leurs expressions n'ont plus cours aujourd'hui. Qui pour prononcer « Laisse-moi faire, c'est bête comme chou », et autre « Nom d'un petit bonhomme » ? Dans cet ouvrage, nous avons sélectionné 100 expressions de nos grands-mères. Le choix fut rude, on n'imagine pas le nombre de formules drôles, perspicaces, péremptoires, imagées et poétiques qu'elles énonçaient chaque jour. Certaines résistent encore, d'autres ressuscitent, on ne sait pourquoi. Beaucoup ont disparu. Quel dommage ! D'autant que ce sont bien plus que des expressions. Ce sont des madeleines, des souvenirs de notre jeunesse, des petits cailloux blancs que nous faisons tomber un à un derrière nous pour retrouver le chemin de notre enfance perdue.

CHAPITRE
1

Sur son 31

SE METTRE
sur son 31

Pas sûr que les plus jeunes utilisent encore cette expression à l'origine bien mystérieuse. Certains ont longtemps cru que « se mettre sur son 31 », c'est-à-dire s'habiller élégamment, avait un rapport avec la Saint-Sylvestre. Il n'en est rien. Les historiens hésitent : s'agit-il de ces soldats prussiens qui, tous les 31 de l'année, recevaient leurs supérieurs et devaient avoir une tenue irréprochable ? Ou ne serait-ce pas plutôt une déformation du mot « trentain », ce somptueux tissu moyenâgeux composé de trente fois cent fils ? Avec cette étoffe, les plus fortunés se faisaient tailler de magnifiques costumes qu'ils revêtaient les jours de fête. Aujourd'hui, quelques perfides utilisent cette expression avec une certaine ironie : « se mettre sur son 31 », cela peut vouloir dire être un peu trop chic. Mais l'est-on jamais assez ?

SAPÉ
comme un milord

Milord est un substantif composé de « my » et de « lord », titre honorifique britannique pour « seigneur ». Dans l'esprit des Français, les Anglais avaient (et ont toujours ?) du chic. Au début du XXᵉ siècle, on apercevait dans les rues de Londres autant de chapeaux melons que de bérets dans le Pays basque. La chanson *Milord* d'Édith Piaf (« *Votre foulard de soie flottant sur vos épaules, vous aviez le beau rôle, on aurait dit le roi* ») témoigne qu'on appelait ainsi les hommes de la haute société, riches et distingués, qu'ils soient anglais, français ou… norvégiens. Le verbe « saper » qui signifie, vous l'aurez compris, « s'habiller » est apparu dans les années 1900 dans le langage populaire. Être sapé comme un milord, c'est donc être au summum de l'élégance.

METTRE SES HABITS
du dimanche

Mettre ses habits du dimanche, c'est avoir fait un effort de toilette. Le dimanche, les catholiques vont à la messe et doivent être impeccables par respect pour leur religion, pour le prêtre, pour ne pas détonner dans leur lieu de culte. Mais l'expression peut aussi avoir une connotation moqueuse : être trop habillé, trop élégant, trop chic, qui manque de naturel. Aujourd'hui, on dirait « overdressed ». Plus ironique encore : « Elle a l'air endimanchée », façon pas très gentille de dire qu'elle n'est pas à l'aise dans ses vêtements, donc, par extension, en société, l'équivalent d'« empruntée », « un peu gauche ». Moralité : pour briller de mille feux, il n'est pas nécessaire de porter des tenues raffinées. Mieux vaut avoir de la conversation. À bon entendeur…

ÇA LUI VA COMME
un tablier à une vache

La vache est pourtant un bien sympathique mammifère. Mais pourquoi donc l'utilise-t-on sans cesse pour railler son prochain ? « Elle parle anglais comme une vache espagnol », « Il me prend pour une vache à lait », « C'est une peau de vache », on pourrait continuer longtemps. C'est vrai que l'expression « lui aller comme un tablier à une vache », qui date du XIXe siècle, est des plus explicites. On imagine la tête de la pauvre bête si on l'affublait d'un tablier. Le résultat serait grotesque. Aussi grotesque que la personne qui vous fait penser à cette formule. La prochaine fois que vous croiserez votre voisine en sarouel, pensez plutôt à « Ça lui va comme un bonnet à une chèvre », qui existe aussi et qui paraît, Dieu sait pourquoi, moins brutal.

AVOIR
de la branche

S i on dit de vous « Il a de la branche », soyez heureux. Cette expression du début du XXe siècle signifie que vous avez de la classe, de l'élégance. Contrairement à ce qu'on pourrait croire, la « branche » dont il est question n'a rien à voir avec un arbre généalogique et les ramifications qui relient entre elles les grandes familles. Cette formule vient, en fait, du cheval. Si celui-ci avait au XIXe « de la branche », c'est qu'il avait les proportions idéales, précisément « une petite tête, un garrot long et un cou flexible ». Rassurez-vous, il n'est pas obligatoire d'avoir toutes ces qualités pour « avoir de la branche ».

IL EST PROPRE
comme un sou neuf

Elles étaient étincelantes les toutes nouvelles pièces d'un sou au XIXe siècle. Si étincelantes que l'expression « Briller comme un sou » était suffisante pour évoquer une personne d'une propreté irréprochable. Et puis, à force d'être manipulées, les jolies pièces se sont assombries… On dut ajouter « neuf » pour suggérer l'éclat. Propre comme un sou neuf, briller comme un sou neuf, les francs puis les euros n'y ont rien changé : l'expression subsistera longtemps dans la bouche de nos anciens. Qui, rappelons-le, avaient déjà bien du mal avec les anciens et les nouveaux francs. Souvenez-vous des « je te donne 500 francs » qui se réduisait, à notre grand désespoir, en un billet de 5 francs !

MAIGRE
comme un coucou

Mais de quel coucou s'agit-il ici ? Sûrement pas de la fleur qui serait plutôt épanouie. Non, il s'agit bien de l'oiseau qui, dit-on, maigrit au printemps pour devenir grassouillet en hiver où il était consommé. Une autre source parle du coucou comme d'un oiseau « ingrat », adjectif qui a pu se confondre avec « non gras », donc maigre. Quoi qu'il en soit, l'expression était utilisée autrefois pour les personnes extrêmement maigres. Aujourd'hui, vous perdez deux kilos et quelques nostalgiques pourraient bien vous comparer au coucou. Ce qui était une réprimande est devenu un quasi-compliment, tant on est à la recherche de la minceur à tout prix ! On peut aussi être « maigre comme un clou » et, au XIXe siècle, « maigre comme un hareng saur ». À relier avec « plate comme une limande », autre expression, autre sens, qui ne concerne, vous l'aurez compris, que la gente féminine.

UN
cache-misère

C'est au XIXe siècle qu'on adopte cette tournure. On l'utilisait d'abord pour signifier que l'on « cachait » la « misère » de ses habits en s'habillant de manteaux amples mais propres destinés à dissimuler ses hardes. Puis le terme s'est généralisé. Plus de manteaux mais n'importe quels vêtements qui en camouflent d'autres, moins élégants, peuvent être un « cache-misère ». On entend encore :

« – Mais dis-donc, elle est drôlement jolie ta petite laine.
– Tu parles, c'est juste un cache-misère. »

Certains s'en servent aussi pour parler d'un tissu qui camoufle un meuble en mauvais état. Attention cependant à ne pas demander à un ami si la vieille veste qu'il porte est un « cache-misère ». Il pourrait mal le prendre.

ÊTRE COIFFÉ
avec le loquet de porte

S 'il est une chose que les grands-mères exècrent, c'est de voir leurs petits-enfants mal coiffés! Souvenir de leur jeunesse, où le chignon était forcément impeccable, où l'on n'imaginait même pas se présenter les cheveux en bataille. Le loquet de porte est au peigne ce que la fourchette est au rasoir: vous pouvez toujours tenter le coup mais le résultat ne sera pas à la hauteur de vos espérances. Certains ont une autre formule pour se moquer de ces négligents et leur lance: «Tu t'es coiffé avec les pieds du réveil», expression plus délicate que «T'es peigné comme un dessous de bras», très explicite mais fort peu ragoûtante!

ATTIFÉ COMME
l'as de pique

C e n'est pas la carte qu'on préfère. En voyance, l'as de pique, ce n'est pas très bon signe. Au XVIIᵉ siècle, un as de pique était un terme désignant un homme stupide, sans valeur, qu'on ne pouvait respecter. Molière utilise l'expression dans ses pièces et ce n'est pas pour qualifier son charmant jeune premier. Au fil des siècles, être attifé comme l'as de pique, c'est être mal habillé, négligé, le contraire de l'élégance. On peut être aussi « bâti comme l'as de pique » qui prend ses origines dans la forme de l'as. Les joueurs de cartes vont comprendre. Les autres devront faire un petit effort de mémoire. Un as de pique ressemble à s'y méprendre à… un croupion de poulet. Autant dire à la partie du corps la moins séduisante de l'oiseau. Nous vous laissons tirer les conclusions qui s'imposent.

COUVERT
comme un oignon

C'est ce qu'on aime dans ces expressions désuètes. Elles sont, pour la plupart, criantes de vérité. Avez-vous déjà épluché un oignon ? Avez-vous déjà pesté contre ces couches et ces couches de feuilles qu'il faut retirer pour obtenir enfin les bulbes à cuisiner ? Vous comprenez alors pourquoi, lorsqu'on vous voit revêtu de vos multiples petites laines, on vous compare à cette plante de la famille des *Amaryllidaceae*. Cette jolie formule est de moins en moins employée même si l'être humain, malgré le réchauffement climatique, est de plus en plus frileux. Dans le Midi, on dira aussi « couvert comme saint Georges », le saint homme étant toujours représenté avec une armure. Il faut dire qu'elle lui permit de terrasser un dragon et, par là même, de sauver la fille d'un roi... Alors, restons couverts, on ne sait jamais.

ET TOUT
le saint-frusquin

C'est une expression tombée en désuétude aux origines énigmatiques. On disait au XVIIe siècle le « frusquin » pour désigner les vêtements, puis il change de sens et signifie l'argent et, plus généralement, tout ce qu'on possède. Dire « manger tout son saint-frusquin » signifiait dépenser tout son capital. Pourquoi « saint » ? Mystère et boule de gomme. Plus tard, la formule change et se transforme en « et tout le saint-frusquin » qui équivaut, à la fin d'une énumération, à « et tout le reste ». Comme dans « j'ai pris mes chaises, ma table et tout le saint-frusquin ». Quelques variantes existent avec « et tout le tralala » ou encore « et tout le toutim », tout aussi démodées mais franchement rigolotes.

GROS-JEAN
comme devant

Nous présentons toutes nos excuses aux hommes prénommés Jean. Car il nous faut révéler la vérité sur cette expression célèbre mais en voie de disparition. Un « Gros-Jean » était, au Moyen-Âge, un niais, un abruti, un benêt. Le terme « devant » signifiait à l'époque « avant ». Ainsi « être Gros-Jean comme devant », c'est être aussi bête qu'avant, sous-entendu Gros-Jean, malgré le fait qu'on lui ai précédemment expliqué quelque chose, n'a toujours rien compris. Plus tard, cette tournure change légèrement de sens. « Être Gros-Jean comme devant » exprime le fait d'être déçu d'une situation malgré les efforts qu'on a fournis, ne pas être plus avancé, être dans la mouise. C'est M. de La Fontaine qui, utilisant cette expression dans sa fable « La laitière et le pot au lait », l'a rendue populaire. On ne vous rappellera pas le prénom du grand homme…

EN BAVER
des ronds de chapeau

Q ue vous ayez souffert physiquement à cause d'un travail pénible, ou psychiquement après avoir vécu un chagrin d'amour, on peut dire avec certitude que vous en avez bavé des ronds de chapeau. Si « en baver » peut se traduire par « en voir de toutes les couleurs », sachez qu'au XIXe siècle, il était au contraire synonyme de « béat d'admiration » : on ouvrait la bouche d'émerveillement si longtemps qu'on en salivait ! Le terme « ronds de chapeau » est plus mystérieux. Il s'agit sans doute de l'époque où les modistes utilisaient un rond en plomb, extrêmement lourd, pour maintenir la forme du chapeau. Ce travail, en plus d'être minutieux, était épuisant. Ajouter « baver » à « ronds de chapeau » et vous l'aurez compris, celui qui prononce cette expression ne sera pas à prendre avec des pincettes.

ÊTRE *chocolat*

Encore une expression qui pourrait porter à confusion. Non, être chocolat ne signifie pas être amateur de Nutella. Mais plutôt avoir été dupé, comme dans « il m'avait promis monts et merveilles et je suis chocolat ». Drôle de métaphore qui a pourtant son explication. Au cours du jeu de bonneteau, l'un des participants doit trouver, parmi trois cartes, laquelle est la sienne. Son adversaire mélange les cartes à toute vitesse provoquant la confusion de son adversaire. Un jeu qui était très populaire et qui, pour ameuter le plus grand nombre, utilisait un « appât ». Un compère faisait donc semblant de gagner afin d'attirer le chaland. On disait qu'il « faisait le chocolat », le comparant ainsi à une confiserie qui tentait l'ingénu. Puis, par extension, ce fut le joueur abusé qui fut appeler « le chocolat ». Être chocolat, c'est s'être fait avoir.

SE SUCRER
le bec

*L*es gourmands comprendront aisément cette formule. Le « bec », c'est bien sûr la bouche. « Se sucrer le bec », c'est se régaler d'un met sucré. Cette expression viendrait tout droit du Québec, même si elle a été entendue dans le nord de la France où l'on dit aussi « Avoir le bec sucré », sous-entendu préférer les gâteaux aux viandes et légumes. Rien à voir donc avec « Sucrer les fraises », entendez : atteindre un âge plus qu'avancé, expression renvoyant aux tremblements des vieillards qui ne peuvent tenir convenablement leur cuiller ! On pourrait presque dire : enfant, on se sucre le bec, âgé, on sucre les fraises. La boucle est bouclée.

À TOUT(E)
berzingue

C'était pourtant une expression que l'on entendait sans cesse au siècle dernier. Comme les modes se démodent ! Plus personne n'emploie cette jolie façon de dire à toute vitesse, à toute allure. Ce drôle de mot « berzingue » vient tout droit du patois picard, une déformation de « brindezingue » qui veut dire « ivre » et qui est, lui, dérivé du mot « brinde » qui signifie « porter un toast ». On comprend donc que la vitesse est étroitement liée à l'ivresse ! Jacques Dutronc a intitulé l'une de ses chansons *À toute berzingue*, ce qui nous rendrait encore plus nostalgique de la fin des années 1960, date à laquelle elle a été composée. On n'oubliera pas non plus « À toute pompe », « À toute blinde » et même « À toute bringue », formules quelque peu oubliées également.

FORT
comme un Turc

N'imaginez pas croiser des athlètes à chaque coin de rue d'Istanbul. Aux dernières nouvelles, les Turcs ne sont pas plus musclés que les Azerbaïdjanais. Alors comment sont-ils devenus le symbole de la force pour nous, Français ? Il faut remonter loin, au XVIIᵉ siècle, et se souvenir que les Turcs étaient un peuple de redoutables guerriers. On les disait cruels, féroces, des barbares prêts à tout pour conquérir l'Europe, l'Afrique et l'Asie. Une autre source assure que ce fut le roi François Iᵉʳ qui, le premier, employa cette formule. Lorsque le sultan Soliman le Magnifique lui offrit une armure en gage de leur alliance, il aurait dit en la revêtant : « *Me voici fort comme un Turc.* » C'était en 1525, mais certaines expressions ont la peau dure.

CHERCHER
des noises

*L*es relations humaines étant ce qu'elles sont, c'est-à-dire compliquées, il arrive qu'on utilise cette expression vieillotte pour se plaindre d'un individu qui vous veut du mal, qui cherche la bagarre. Si, au XIe siècle, les « noises » signifiait bruits - d'où le mot anglais « noise » -, il changea peu à peu de sens pour devenir un synonyme de « querelles ». C'est au XVIIIe siècle que l'expression, telle qu'on la connaît aujourd'hui, est apparue. On disait même à l'époque « Chercher noise pour noisette », ce qui signifiait « se disputer pour rien » puisque « noisette » voulait dire « rien, pas grand-chose ». Aujourd'hui, on dirait plutôt « peanuts », ce qui, comme c'est bizarre, est la traduction anglaise de « cacahuète » !

FAIRE
du ramdam

C ette expression désuète semble tout droit sorti d'un dialogue de Michel Audiard. Pourtant, contrairement aux apparences, ce n'est pas de l'argot. Seulement une déformation de mot. Le « ramdam » vient de « ramadan ». Si « faire du ramdam » n'est plus tellement usité, on sait que cela signifie faire beaucoup de bruit. Au XIXe siècle, le « ramdam » signifiait seulement « tapage nocturne » : les musulmans profitent du coucher du soleil pour se nourrir et se détendre et sont, par conséquent, plus bruyants la nuit que le jour. Plus tard, l'expression a perduré et a changé légèrement de sens : on peut aussi faire du ramdam à deux heures de l'après-midi ! Comme on peut faire « du potin », autre formule pour dire son agacement à ceux qui nous cassent les oreilles.

TAILLER
une bavette

O n taille une bavette comme on discute le bout de gras, et pourtant cette expression n'a rien à voir avec une pièce de bœuf, ni avec un boucher aussi sympathique soit-il. La « bavette » tient son origine de « bave » qui était, au XVe siècle, une façon de désigner le babil des enfants. Peu à peu, la « bave » se généralise pour qualifier le « bavardage » des grands comme des petits. Pour le verbe « tailler », sachez qu'au XIIIe siècle, on disait « tailler bien la parole » pour dire « parler avec éloquence ». En associant l'un avec l'autre, on a créé cette formule qui fut longtemps péjorative et destinée aux femmes. Elle signifiait caqueter, jacasser et faire des commérages puisqu'il est bien connu que c'est une spécialité exclusivement féminine. Peu à peu, « tailler une bavette » est devenu une manière bien inoffensive – et mixte ! – d'exprimer le fait d'avoir une petite conversation.

TAP TAP

LE ROI
n'est pas son cousin

À la cour de Louis XIV, les princes de sang, les maréchaux, les personnages illustres et proches du roi se faisaient appeler « cousins » par leur souverain. Si, à l'époque, on disait de vous « le roi n'est pas son cousin », c'est que vous pensiez être mieux que cela, son égal, voire, crime de lèse-majesté, son supérieur. Autant dire que vous paraissiez aux yeux des courtisans comme le pire des prétentieux. Plus tard, cette connotation négative s'est atténuée. On prononcera cette expression avec une pointe d'ironie bienveillante, pour exprimer la simple fierté d'un travail accompli, comme dans « Il a réussi ses examens, le roi n'est pas son cousin ». Attention : « Tu te crois sorti de la cuisse de Jupiter » ou « Tu pètes plus haut que ton cul » attestent aujourd'hui encore que vous ne vous prenez pas pour la moitié d'une mandarine.

VIEUX
comme Hérode

En réalité, en prononçant cette phrase, on ne sait pas très bien qui est cet Hérode mais on imagine un vieillard centenaire, célèbre pour sa longévité. Que pouic! Au Iᵉʳ siècle après J.-C., Hérode est un roi de Judée, son fils aussi, son petit-fils également. Bref, les Hérode étaient nombreux et on ne sait pas très bien lequel a donné son nom à cette expression. De plus, personne ne peut attester qu'ils vécurent plus longtemps que la moyenne, sachant qu'à cette époque, mourir à 35 ans était un exploit. Il serait plus logique de dire « vieille comme Jeanne Calment » qui elle, c'est certifié, a rendu l'âme à 122 ans. Des petits malins ont transformé « Vieux comme Hérode » en « vieux comme mes robes » au même titre que « Fier comme Artaban » est devenu « Fier comme un petit banc » ou « Fier comme un bar-tabac ».

CRACHER
sa Valda

On l'entendait dans les cours de récréation. Il suffisait d'être un peu long à la détente pour qu'un camarade mal intentionné, exaspéré par des explications trop compliquées et notre manque de sincérité, lance « Tu la craches ta Valda », voire « accouche », mieux « tu vas te mettre à table ». La Valda, cette pastille pour la gorge inventée en 1904 par Henri-Edmond Canonne, pharmacien de son état et roi du marketing, fut un best-seller du médicament. Ce petit cône à l'eucalyptus, dont les publicités s'affichaient un peu partout dans les rues de Paris et d'ailleurs, devint si célèbre qu'il fut même utilisé par les malfrats pour désigner les balles de leur pistolet. Et également pour cette expression qui fonctionne même quand vous n'avez pas d'angine.

AVOIR
le trouillomètre à zéro

e trouillomètre est un instrument de mesure singulier. Il existe dans la tête de ceux qui ont franchement peur, qui ont « la trouille ». Si on devait calculer à quel point ils ont peur, à quel point ils ont la trouille... ce ne serait pas bien brillant. Autant « avoir la trouille » est toujours usité, autant « le trouillomètre » a tendance à disparaître du vocabulaire français. C'est bien dommage, tant le terme est amusant. Frédéric Dard a d'ailleurs titré ainsi, en 1987, l'une des aventures de San Antonio. Il existe bien des synonymes pour exprimer la peur comme « avoir les jetons », « avoir les foies », « avoir les chocottes » et l'éternel « avoir les pétoches ».

BON
comme la romaine

ême si nous sommes tous d'accord pour apprécier le charme des habitantes de Rome, il est question ici de la salade croquante, utilisée entre autres pour la Ceasar Salad, particulièrement prisée par les Américains. En France, on l'a découverte au XVe siècle et on n'avait jamais mangé plante potagère plus délicieuse. Aussi, on commença à s'exclamer « Il est bon comme la romaine » dans le sens de : cet homme est la gentillesse incarnée. Et puis, parce que le monde est cruel, on a utilisé cette formule pour se moquer gentiment d'un individu un peu trop charitable, donc un peu trop faible. Comme souvent, les expressions ont plusieurs sens. « Être bon comme la romaine » peut aussi signifier que l'on s'est fait avoir : « Je suis arrivé en retard à mon rendez-vous et c'était trop tard. J'étais bon comme la romaine. »

TRANQUILLE
comme Baptiste

S i vous êtes d'un naturel détendu, on vous a sûrement comparé une fois à Baptiste, même si vous ne connaissez pas personnellement ce monsieur. Mais pourquoi donc ce prénom ? Les historiens hésitent et supputent sur les origines de cette expression qui date, c'est sûr, du XIXe siècle. Baptiste pourrait faire allusion au cousin de Jésus, Jean le Baptiste, dit saint Jean Baptiste, réputé pour son humilité, sa quiétude et sa facilité à se satisfaire de peu. Mais on évoque aussi un autre Baptiste, sorte de Pierrot, personnage de foire qui jouait au niais et subissait avec passivité et sans jamais broncher les coups que lui administrait le public. Enfin, Baptiste pourrait être cet acteur de la Révolution française, très populaire, un comique qui s'amusait à faire le nigaud et qui, malgré l'hilarité des spectateurs, restait stoïque.

Conter fleurette

AVOIR
le béguin

Lorsque le Belge Lambert le Bègue, prêtre de son état, fonda à Liège, au XIIe siècle, un couvent de religieuses surnommées les béguines, il n'a sûrement pas imaginé être un jour à l'origine d'une expression signifiant « être amoureux », « être épris ». Point d'histoires d'amour dans cette institution, seulement des sœurs qui arboraient une coiffe en toile appelée « béguin ». Or, « se coiffer d'une personne » a longtemps été synonyme de « être aveuglé par une personne ». On comprendra alors qu'avoir le béguin, c'est être amoureux au point de ne plus voir les défauts de l'être chéri. Au XVIe siècle, on disait aussi « Avoir le béguin à l'envers » pour « être tout retourné », au sens sentimental du terme.

COURIR
le guilledou

On n'aimait pas beaucoup ces garçons qui papillonnaient d'une fille à l'autre, ces garnements qui charmaient les demoiselles mais ne les épousaient pas. Un cauchemar pour les mères. On disait d'eux qu'ils couraient le guilledou, expression qui tient ses origines du verbe « guiller », autrement dit « tromper », « ruser ». Au XVIe siècle, on « courait le guildron » pour courir l'aventure (galante) et on « courait le guildrou » au sens de fréquenter les bas-fonds, autant dire les prostituées. Les Don Juan nouvelle génération n'ont plus besoin de se rendre dans les lieux de débauche pour courir le guilledou. L'expression devient même, au fil des siècles, moins péjorative, presque complaisante.

FAIRE
du gringue

Combien de fois avons-nous entendu cette formule dans la bouche de nos parents ! Mais le « gringue », quèsaco ? Ce mot est sans doute issu d'un terme du Moyen-Âge, « grignon », qui désignait la croûte du pain. Or, il fut un temps où l'expression « faire des petits pains » signifiait, comme « faire du gringue », courtiser, faire la cour... On disait aussi « faire du plat » dont l'origine date du XVe siècle. Le « plat », c'était la langue et « donner du plat » prononcer de belles paroles, baratiner. On ne verra plus un seul adolescent dire une chose pareille, s'il s'y essayait, gageons qu'il ferait chou blanc. Il préfèrera « draguer », voire « brancher une fille ». Moins poétique, moins imagé, même si le résultat est identique.

MARIE-
couche-toi-là

Les historiens ne se sont pas mis d'accord sur l'expression « Marie-couche-toi-là ». Ou plutôt ne sont pas très sûrs de connaître son origine. Rassurons immédiatement toutes celles qui portent ce prénom, elles ne sont pas personnellement visées. La Marie en question pourrait être Marie-Madeleine, célèbre prostituée citée dans l'Évangile, sauvée du vice par Jésus. Mais une autre hypothèse est apparue. À partir du XVIIIe siècle, nombre de femmes de chambre s'appelaient Marie, prénom très populaire. Leurs maîtres ne se gênaient pas pour fricoter sans risque avec elles : se plaindre, c'était perdre sa place. Non, ce n'est pas beau. Oui, c'était comme ça. Désormais, les « Marie-couche-toi-là » sont des femmes aux mœurs légères bien plus dégourdies que les petites servantes de l'époque : de sacrées gourgandines.

COURIR
la gueuse

Celui qui court la gueuse est à la recherche d'aventures amoureuses. La « gueuse », dont il est ici question, était une femme de mauvaise vie, une prostituée. Mais l'expression s'est étendue à toutes les femmes, plus uniquement les professionnelles. Le coureur de gueuses ne va pas forcément passer ses soirées rue Saint-Denis. Dans ce même registre, on disait aussi, au XVIIIe siècle, « courir la prétentaine » sans que l'on connaisse l'origine du mot « prétentaine », même si certains affirment qu'il s'agit du bruit que font les chevaux en galopant. Mystère. Soyez sûr d'une chose : vous n'entendrez jamais vos enfants utiliser cette formule pour se moquer d'un de leurs camarades un peu plus intrépide que les autres avec les filles. « La gueuse » dans leur esprit est, et sera pour toujours, la manière dont Jacquouille la Fripouille appelle une femme dans le film *Les Visiteurs* !!!

JETER
sa gourme

Cela faisait partie des idées toutes faites : le plus vertueux des jeunes gens finira un jour ou l'autre par « jeter sa gourme ». Il passera du petit garçon bien peigné au débauché notoire. Au moins pour quelque temps. Et c'est tant mieux car il entrera ainsi dans le monde des adultes avec une certaine expérience de la vie. On ne parlait alors que des garçons, les filles ne jetant jamais leur gourme, imaginez sinon ce qu'on penserait d'elles. Mais qu'est-ce donc que cette « gourme » qu'on jetait sans complexe ? Une maladie pas très ragoûtante, sorte de pus qui se propageait dans la bouche du cheval. Cette maladie bénigne ne touchait que les plus jeunes poulains, était inévitable mais facilement guérissable. Les nuits de fête alcoolisées seraient donc inévitables mais facilement guérissables. L'incorrigible fêtard sera pardonné : ses incartades ne devraient durer qu'un temps, il aura fait son apprentissage et partira d'un bon pied dans la vie.

AVOIR
la cuisse légère

Chez les dames d'un certain âge, cette expression est ce qu'on pourrait appeler une litote : en dire moins pour en faire comprendre davantage. «Avoir la cuisse légère» n'est pas un terme inventé par Rudolf Noureev pour une de ses danseuses, ni une manière admirative de dire à une femme comme elle est fine et gracieuse. Tout au contraire, c'est une façon distinguée d'exprimer un fait qui ne l'est pas, aux yeux de certaines vertueuses : une délurée qui a de multiples relations sexuelles. Ouh la la ! On disait aussi, plus explicite, « avoir la cuisse hospitalière », vous m'avez comprisc… Bref, ces dames aux cuisses légères ont «du tempérament», entendez qu'elles sont portées sur la chose.

MENER UNE VIE
de bâton de chaise

S ynonyme de « mener une vie de patachon », il en existe décidément des formules pour qualifier l'homme dépravé qui mène une vie mouvementée. Et c'est justement le côté agité de ce zigomar qui est à l'origine de cette expression. À partir de 1650, les chaises à porteurs sont conçues pour transporter les plus riches. L'habitacle est soutenu par des bâtons latéraux portés par de courageux quidams. On imagine comment, dans les encombrements des grandes villes, ces bâtons étaient malmenés, remués en tous sens, soulevés puis reposés. Voilà pourquoi on compare celui qui va de bras en bras, qui mène une vie dissolue à ces bâtons-là. Une expression qui vit le jour, non pas à l'époque des chaises à porteurs, mais bien plus tard, au XIXe siècle.

MENER UNE VIE
de patachon

L e « patachon » est un joli mot, presque enfantin. Mais méfions-nous, il désigne celui qui conduisait la « pata-che », cette diligence, inconfortable mais bon marché, qu'utilisaient, au XIXᵉ siècle, les plus pauvres. Ce patachon avait une réputation effroyable : buveur invétéré, il se saoulait dans les tavernes et en profiter pour accomplir des actes sur des jeunes femmes que notre délicatesse empêche de relater ici. Est-il alors utile de vous expliquer par le menu ce qu'est « mener une vie de patachon » ? Aujourd'hui, on dirait plutôt « faire les 400 coups », quoi qu'un peu démodé, ou « faire la fête », être un « fêtard ». « Mener une vie de patachon » a aujourd'hui un sens bien moins agressif. Ce n'est en tout cas plus une insulte, plutôt une expression désuète, énoncée avec le sourire, voire de la tendresse.

CONTER
fleurette

L es origines de cette expression, qui évoque une façon gen-
tillette de faire la cour, sont multiples. Certains y voient un
lien avec la monnaie du XVe siècle. Certaines pièces étaient
appelées « florettes » car y étaient gravées des fleurs de lys.
Fallait-il donc monnayer systématiquement les faveurs d'une
dame pour arriver à ses fins ? Autre explication, plus réaliste, les
billets doux qu'adressaient les galants à l'objet de leur affection
étaient illustrés de petites fleurs peintes ou découpées. « Envoyer
des fleurettes » devint bientôt « conter fleurette ». Enfin, « les fleurettes » étaient une autre façon de nommer les « cajoleries », des
petits propos amoureux pas très honnêtes, aujourd'hui on dirait du
baratin. Toujours est-il qu'au XIXe siècle, on disait plutôt « fleure-
ter » qui serait devenu « flirter » pour nos amis anglais avant de
revenir en France. On n'est pas sûr de la véracité de cette version
mais on adore l'idée !

FAIRE
un chopin

Rien à voir avec le compositeur, pauvre homme. « Faire un chopin », c'est « faire la conquête d'un homme ou d'une femme qui a du bien ». On dira, par exemple : « Il a bien de la chance d'être tombé sur une fille riche comme Micheline. On peut dire qu'il a fait un chopin. » Le chopin était autrefois le produit d'un vol et est à l'origine de l'expression « choper » pour « dérober », avant de vouloir dire « attraper » ou, plus connu et toujours utilisé, « se faire choper » pour se faire attraper. Aujourd'hui, même si « faire un chopin » a tendance à disparaître complètement du vocabulaire, on l'entend encore pour exprimer sa satisfaction d'avoir fait une bonne affaire... sans sous-entendre qu'on l'a volée !

FAIRE DES YEUX
de merlan frit

Pendant longtemps, cette expression signifiait seulement regarder une femme avec passion jusqu'à en devenir niais. Aujourd'hui, elle peut vouloir dire la même chose mais s'est étendue à tous ceux qui ont un regard vide ou qui semblent ne pas comprendre ce qu'on leur dit. Au XVIIIe siècle, on préférait dire « faire des yeux de carpe frite », un poisson sans doute plus populaire en matière de cuisine que le merlan. Toujours est-il que le pauvre garçon – ou la fille – énamouré, dont on compare les yeux à ceux d'un poisson mort, a peu de chance de séduire qui que ce soit.

UN POLICHINELLE
dans le tiroir

Mais que diable vient faire Polichinelle, marionnette de la commedia dell'arte, dans cette histoire ? On emploie cette expression lorsqu'on attend un enfant, que le ventre de la mère commence à s'arrondir. Polichinelle ayant la même racine que « pulcino », poussin en italien, on veut dire qu'on a « un poussin dans le ventre », formule qu'on employait d'ailleurs à la Renaissance pour annoncer sa grossesse. Quant au mot « tiroir », souvenez-vous de ce jeu d'enfants duquel surgissent des personnages montés sur ressorts. Il représente ici le ventre qui cache une surprise. Et quelle surprise ! Polichinelle est employé pour une autre expression très française là aussi : « un secret de polichinelle », un secret que tout le monde connaît puisque ce bavard invétéré est incapable de tenir sa langue.

FAIRE
la sainte-nitouche

Ne cherchez pas dans le calendrier. Sainte-nitouche n'est pas une martyre du Moyen-Âge, ni un personnage de l'Évangile. C'est plutôt une hypocrite qui fait mine de ne pas y toucher (n'y touche). Associer ce nom à « sainte » est plus fort encore car devenir sainte c'est faire preuve d'un dévouement et d'une pureté absolus. On entend par là que cette sainte-nitouche tente de nous faire croire qu'elle est la pruderie incarnée. Mais personne n'y croit. On l'emploie beaucoup dans le sens d'une jeune fille qui semble sage avec les garçons alors qu'il n'en est rien. Mais par extension, elle incarne toutes les demoiselles qui agissent mal, en catimini, dans bien d'autres domaines.

COIFFER
Sainte-Catherine

C'est être célibataire à 25 ans passés. Pas grave aujourd'hui, bien plus il y a quelque temps, où l'on tremblait à l'idée de finir vieille fille. Cette expression un peu vieillotte tient ses origines d'une coutume moyenâgeuse. Le 25 novembre, on fête sainte Catherine, vierge du IVe siècle morte en martyr – plus précisément déchiquetée par une roue faite de scies de fer et de clous – et patronne des jeunes filles. Les célibataires devaient porter, ce jour-là, une coiffe verte et jaune. Verte, couleur de la connaissance, jaune de la foi. Aujourd'hui, cette fête subsiste, particulièrement dans les maisons de couture, où les employés fabriquent et offrent à la « catherinette » un chapeau qu'elle doit arborer. Les hommes ne sont pas en reste : ils ont eux aussi leur saint patron des célibataires en la personne de saint Nicolas. Mais ne sont pas, eux, obligés de porter un couvre-chef.

CHAPITRE
3

Quel loustic !

FAIRE
sa Marie-Chantal

Mais qui est donc cette Marie-Chantal ? Un personnage haut en couleur, déconnecté de la vie réelle, capable, par exemple, de dire à un mendiant qui lui dit « merci » pour son aumône : « Merci, qui ? » Cette jeune personne, quelque peu maladroite, est l'héroïne d'un livre de Jacques Chazot, *Les Carnets de Marie-Chantal*, publié en 1956. L'auteur, ancien danseur, très mondain, meilleur ami de Françoise Sagan, s'amusa à raconter ce qu'il avait entendu dans les salons de la haute société, exagérant à peine la teneur des conversations des élégantes qu'il croisait. Marie-Chantal devint peu à peu synonyme de femme snobissime quoi qu'un peu naïve. « Faire sa Marie-Chantal », c'est tenir des propos ahurissants de sottise tout en pensant être la plus chic des créatures. Molière avait déjà, dans *Les Précieuses ridicules*, abordé à peu près le même sujet…

BEURRÉ
comme un petit Lu

L a signification de cette expression est la même que « rond comme une queue de pelle », là encore, il est question d'abus d'alcool. « Beurré » est une déformation du mot « bourré » (qui s'emploie d'ailleurs aussi pour saoul) et qui est assez cohérent : avoir l'estomac bourré, c'est qu'il est rempli à son maximum de boissons de toutes sortes. Les fameux biscuits nantais Petit Lu, créés en 1886, avaient la réputation d'être fabriqués avec une grande quantité de beurre (on les appelle aussi les petits beurres). Voici comment d'inoffensifs gâteaux sans alcool ont été comparés à l'ivrogne, pourtant bien moins parfumé, bien moins craquant, mais, hélas, tout aussi beurré.

SAOUL
comme un Polonais

*U*ne fois n'est pas coutume, c'est à Napoléon que nous devons cette expression. Souvenez-vous de vos cours d'histoire et de la fameuse bataille de Somosierra en 1808. Les lanciers polonais de la Garde impériale, pourtant peu nombreux, ont réussi à vaincre les ennemis espagnols. L'Empereur, impressionné, se serait exclamé : « *Il fallait être saoul comme un Polonais pour accomplir cela.* » Une autre source rapporte que des généraux français, vexés du triomphe des lanciers, auraient assuré à Napoléon qu'ils étaient tous ivres. « *Eh bien messieurs, la prochaine fois, soyez saouls comme des Polonais* », répondit-il. On imagine leur tête. Conclusion : tous ceux qui croyaient encore qu'un Polonais était, de nature, plus porté sur l'alcool que les autres en sont pour leurs frais.

ROND COMME
une queue de pelle

O n pourrait dire sans se tromper que si vous êtes « rond comme une queue de pelle », vous êtes également « rond comme une barrique », voire « rond comme un coing ». Bref, vous êtes tout à fait saoul. Le mot « rond » au XVIIᵉ siècle, voulait simplement exprimer le fait qu'on était rassasié, à tel point que notre estomac s'arrondissait. Puis, dès le XVIIIᵉ siècle, le sens de « trop manger » s'est transformé en « trop boire », donc être ivre. Quant à la pelle, regardez bien, elle est effectivement ronde à l'extrémité du manche. Cette pelle peut, par ailleurs, désigner une manière osée de s'embrasser sur la bouche, mais nous ne nous étendrons pas sur un sujet aussi peu convenable.

ALLER SE FAIRE
cuire un œuf

Certaines expressions surgissent, deviennent populaires, sans que personne connaisse jamais leur origine. « Aller se faire cuire un œuf » est une énigme pour les experts. Pour certains, il est possible que la formule soit tronquée et qu'il faudrait dire « Allez se faire cuire un œuf (neuf) à huit heures ». Jeu de mots irrésistible pour signifier une situation impossible et exprimer son agacement. Pour d'autres, ce serait un propos légèrement féministe : un homme qui critiquerait le repas préparé par sa femme se ferait rabrouer par un « Si ça ne te plaît pas, va te faire cuire un œuf ». Mouais, on n'est pas satisfait par cette explication mais pourquoi pas. Toujours est-il qu'on a cherché en vain une interprétation plausible et que, si vous n'êtes pas content, allez-vous faire cuire un œuf.

QUEL
loustic !

L e mot « loustic » est d'origine allemande, « lustig » signifiant en langue germanique « gai ». Or, avant la Révolution française, l'armée engageait de jeunes Suisses amusants et farceurs pour divertir les soldats et faire en sorte qu'ils gardent le moral, on les appelait des « loustics ». Petit à petit, il est devenu synonyme de « rigolo », de « joyeux drille », et pas seulement dans les régiments. Le « loustic » peut aussi désigner, de manière plus péjorative, un gars bizarre, qui n'est pas digne de confiance. Mais, soyez tout à fait rassuré, quand une grand-mère traite son petit fils de « drôle de loustic », c'est simplement une tendre façon de lui dire qu'il est un sacré garnement.

COURIR
sur le haricot

Q uelle charmante expression pour signaler à son interlocu-
teur qu'il est exaspérant, agaçant, pénible, insupportable.
« Tu commences vraiment à me courir sur le haricot » ne
doit pas être pris au pied de la lettre. Le haricot en question
n'est pas le délicieux petit légume que vous imaginiez. Il signifie
aussi « orteil » en argot. Même s'il est contrariant de se faire écraser
les doigts de pied, l'expression viendrait plutôt du terme « harico-
ter » qui signifiait au XIXe siècle « être mesquin ». Quant à « courir », il était synonyme au XVIe siècle d'« importuner ». Mélangez
les deux mots et, comme par enchantement, surgit cette exclamation qu'on peine parfois à garder pour soi. Les plus jeunes, moins
inventifs, diraient plutôt : « Tu me saoules. »

L'AVOIR
dans le baba

Nous aurions souhaité vous décrire par le menu cette expression populaire et très usitée depuis la fin du XIXe siècle qui signifie «s'être fait avoir». Vous dire, par exemple, que le baba en question fait référence au délicieux gâteau imbibé au rhum, appelé aussi savarin. Mais nous sommes dans l'obligation de vous avouer la vérité : le «baba» est en fait, dans ce contexte, le sexe de la femme, qu'on a souvent comparé au fil des siècles à une friandise. Le mot «baba» est aussi utilisé dans une autre expression «J'en suis resté baba» pour «J'en suis resté interloqué au point de ne plus pouvoir prononcer un mot» qui tient, elle, ses origines de la première syllabe de «babines». Tout simplement.

LE BON DIEU
sans confession

*U*ne expression inventée par Émile Zola dans l'un de ses plus célèbres ouvrages *La Bête humaine*, publié en 1890. C'est ainsi qu'il décrit l'un de ses personnages à l'apparence innocente. Le bon Dieu représente ici l'hostie, le corps du Christ, que le prêtre distribue à ses fidèles lors de la messe. Pour en être digne, il faut d'abord s'être confessé, s'être lavé de ses péchés. Celui qui n'a pas besoin de confession pour communier est forcément un être pur. On utilise le plus souvent cette formule dans un sens négatif comme dans « Et dire qu'on lui aurait donné le bon Dieu sans confession ! », pour marquer sa déception devant une personne qu'on croyait honnête et qui s'avère ne pas l'être.

PEIGNER
la girafe

Les animaux tiennent décidément une grande place parmi les expressions françaises. Mais que vient donc faire une girafe dans celle-ci signifiant « glander », « ne rien faire d'intéressant », « faire un travail sans aucun intérêt » ? Les sources varient mais on peut imaginer que peigner des heures durant le long cou de ce ruminant n'est pas tâche passionnante. On disait d'ailleurs au départ : « Faire ça ou peigner la girafe », autant dire « faire ça ou rien du tout ». Pour d'autres, l'expression viendrait du début du XIXe siècle. Le roi Charles X, petit-fils de Louis XV, s'est vu offrir par le pacha d'Égypte une girafe. Quatre personnes étaient au service de l'animal, ce qui faisait quand même beaucoup pour cette belle bête, fusse-t-elle démesurée. Un travail plutôt tranquille pour celui dont le rôle était de la peigner.

JE TE DEMANDE SI
ta grand-mère fait du vélo ?

« Eh toi ! Arrête de te mêler de mes affaires personnelles. »
Voici en quelques mots l'explication de cette expression
vieillotte et rigolote qu'on employait beaucoup au début
du XXe siècle. Époque où, contrairement à aujourd'hui,
les grands-mères n'étaient pas des championnes de la petite reine,
puisqu'elles ne montaient jamais sur des bicyclettes. Autant dire
qu'on considérait cette idée totalement absurde et non avenue.
Cette expression ne vient pas de nulle part mais d'une opérette de
1926, *Les Trois Jeunes filles nues*, dont l'une des chansons célèbres
disait : *« Est-ce que je te demande/Si ta grand mère fait du vélo,/
Si ta p'tit' sœur est grande,/Si ton p'tit frère a un stylo,/Si la cousine
Fernand, Pour coudre aux rideaux les anneaux/Bien qu'on le lui défen-
de, Prend les aiguilles du phono ? »* Et on pourrait continuer longtemps cette liste d'incongruités...

T'AS LE BONJOUR
d'Alfred

*I*l faut être un spécialiste ou être né dans les années 1920, pour connaître *Zig et Puce*. Ces deux protagonistes sont les héros de la toute première bande dessinée française, créée par Alain Saint-Ogan en 1925. Les deux héros adoptent un pingouin nommé Alfred, qui devient vite un personnage adoré du public. Dans cette BD, lorsque Zig et Puce sortent vainqueurs d'une lutte contre un adversaire, ils s'exclament d'un seul homme « T'as le bonjour d'Alfred », réplique devenue si célèbre qu'elle entre dans le langage commun. C'est à présent une formule employée pour mettre un terme à une conversation et pour se débarrasser d'un importun. Rappelons que le sympathique Alfred est devenu la mascotte de différentes personnalités : Mistinguett avait même baptisé son chien ainsi en l'honneur du pingouin, et Charles Lindbergh, le premier aviateur à avoir traversé l'Atlantique en solitaire, avait, dans sa carlingue, durant son épopée, une peluche à son effigie !

RABATTRE
le caquet

C e n'est pas très aimable à dire, mais il existe des situations où des propos deviennent si intolérables qu'on veut les faire cesser. C'est le moment de « rabattre le caquet » de l'importun qui ne cesse de piailler pour dire n'importe quoi. « Caqueter », c'est ce que font les poules dans une basse-cour, vous serez d'accord. Le caquet, c'est donc ce bruit irritant, qui ressemble à s'y méprendre à celui de l'humain lorsqu'il bavarde, pire lorsqu'il cancane. Au XVe siècle, le « caquet » était d'ailleurs synonyme de « bavardage indiscret ». Rabattre, c'est « faire retomber » le volume du son, la tonalité. Bref, faire taire. Et ça fait du bien.

ET TOUT
le toutim

Non, « toutim » n'est pas un mot d'argot inventé de toutes pièces mais un substantif issu de « tout » et du suffixe de supériorité latin « issimum », qu'on trouve dans le langage courant avec « rarissime » ou « gravissime ». On pourrait donc traduire « toutissime » par « plus que tout ». L'expression « et tout le toutim », en langage populaire, signifie « et tout le reste », comme « et tout le tralala » ou encore « et tout le saint-frusquin ». On ne l'entend plus guère sauf dans quelques films noirs des années 1950 ou les comédies écrites par Michel Audiard. Dans *Les Tontons flingueurs*, par exemple, le personnage interprété par Lino Ventura s'exclame : « *Ça va changer vite, c'est moi qui vous le dis ; la boîte que je vais lui trouver, va falloir qu'elle y reste, croyez-moi ! Ou sinon, je vais la filer chez les dresseurs, les vrais, pension au bagne avec le réveil au clairon et tout le toutim, non mais sans blague.* » Irrésistible !

NOM D'UN PETIT
bonhomme

S'il existe nombre d'expressions pour marquer sa surprise, « Sacre bleu », « nom d'une pipe » etc., « nom d'un petit bonhomme » est l'une des plus charmantes. Elle existait au XIXe siècle, époque où on la prononçait bien plus souvent qu'aujourd'hui. En effet, si un gamin de 12 ans se met à s'exclamer « Nom d'un petit bonhomme », c'est forcément qu'il est un peu étrange ou, soyons charitable, qu'il vient de découvrir cette formule dans un livre de sa bibliothèque. Mais quel est donc ce petit bonhomme ? Il fait référence aux statuettes représentant le Christ, une façon détournée de parler de Dieu. Car jurer en prononçant « Nom de Dieu » est blasphématoire et donc interdit. Les chrétiens préfèrent utiliser un équivalent qui ne choquera personne.

MINUTE *papillon*

*U*ne façon comme une autre d'interrompre un bavard avec qui on n'est pas d'accord ou de stopper l'enthousiasme ou la hargne d'un individu sur tel ou tel sujet. Son origine est-elle due à ces jolis insectes qui volent sans interruption en déployant leurs ailes multicolores et qui ne prennent pas le temps de se poser ? Pas sûr. « Minute papillon » aurait été inventé par la rédaction du *Canard enchaîné* qui, dans les années 1930, se rendait chaque jour dans le même café. Le serveur s'appelait « Papillon » et répétait « minute », dès qu'on l'interpellait pour être servi. Les journalistes l'auraient alors surnommé « Minute papillon ». L'expression courante « minute ! » s'est donc au fil du temps rallongée mais tend à disparaître aujourd'hui.

TOUT VA TRÈS BIEN
madame la marquise

Votre femme vous a quitté, vous êtes au chômage, vos enfants ne vous parlent plus. Et à part ça? Tout va très bien madame la marquise. Une expression toute en ironie pour dire qu'on ne va pas bien mais qu'on est résigné. Elle tient son origine d'une célèbre chanson de Paul Misraki, écrite en 1935 et interprété par Ray Ventura et ses Collégiens : *Tout va très bien madame la marquise*. Ce fut ce qu'on appellerait aujourd'hui un tube. Avec la bonne humeur qui les caractérisait, la petite bande de musiciens fredonnait cette improbable histoire de valet, incorrigible optimiste, qui devise au téléphone avec sa patronne et lui annonce d'un ton jovial de terribles catastrophes : « *On déplore un tout petit rien : Si l'écurie brûla, madame, C'est qu'le château était en flammes. Mais, à part ça, madame la marquise, Tout va très bien, tout va très bien.* »

BON SANG
de bonsoir

Drôle de manière pour dire son mécontentement, voir son énervement, « Bon sang de bonsoir » n'est pratiquement plus usité. Quel dommage ! L'origine de cette interjection est très ancienne, elle date du XIVe siècle. On disait à l'époque, lorsqu'on était excédé, « Par le sang de Dieu ». Cette expression trop blasphématoire pour être utilisée à tout bout de champ dut être adoucie pour ne pas heurter l'Église et ses fidèles. Dès le XIXe siècle, on s'exclamait « Bon sang de Bon Dieu », encore un peu trop sacrilège, puis « Bon sang de bonsoir » ou même « Bon sang » tout court qui peut aussi être prononcé pour dire son étonnement : « Bon sang ! C'est donc elle qui a commis ce terrible meurtre » (phrase inventée, d'accord, mais entendue cent fois dans les films policiers d'hier !).

EN VOITURE
Simone

La Simone de cette expression signifiant « Allons-y ! », « C'est parti ! » est une référence à Melle Simone Louise de Pinet de Borde des Forest qui n'a pas que la longueur de son nom comme signe particulier. Elle est aussi la première Française à avoir obtenu son permis de conduire en 1929. Une révolution ! D'autant qu'elle devint une pilote de course automobile admirée et ouvrit en 1950 une auto-école, alors qu'il n'en existait presque pas à cette époque. Une drôle de dame assez célèbre pour inspirer cette populaire exclamation. Qu'utilisait souvent Guy Lux dans l'émission « Intervilles » en apostrophant sa collaboratrice Simone Garnier, dont seuls les enfants nés avant 1970 se souviennent encore. Pour être complet, sachez que la formule était au départ « En voiture Simone, c'est moi qui conduis, c'est toi qui klaxonnes », drôle mais pas très chic.

ENCORE UN
que les Boches n'auront pas

Les Boches sont bien sûr les Allemands contre qui la France était en guerre en 1914. On les appelait aussi les Fritz, les Schleuhs, les Frisés. Le mot « boche » était déjà utilisé lors de la guerre de 1870 contre les Prussiens et vient du mot alboche : « al » pour allemand, « boche » pour « boule » en argot, comme celle utilisée au jeu de quilles. L'expression « tête de boche » signifiait alors « tête dure ». Lorsque, pendant la Première Guerre, les Français ouvraient une bonne bouteille qui n'était pas réquisitionnée par les ennemis, on s'exclamait « Encore une que les Boches n'auront pas » pour la savourer avec encore plus de plaisir. Une expression utilisée aussi pendant la guerre de 1940. Et même plus tard, en temps de paix, lors de réceptions arrosées, lorsque, pour se donner bonne conscience, on débouche la quinzième bouteille de rosé de la soirée !

VIEILLE
branche

« **S**alut vieille branche », disait-on volontiers à un camarade. Qui n'était pas forcément centenaire. Comme pour « un vieil ami », on parle ici de l'ancienneté de la relation, pas de l'âge de la personne concernée. Quant à branche, l'origine est bien mystérieuse. On s'en remettra aux recherches de spécialistes : au XIVe siècle, on appelait son meilleur ami un « poteau », exprimant ainsi la solidité de son camarade, quelqu'un sur qui on pouvait se reposer. Le terme a d'ailleurs donné le mot « pote » utilisé aujourd'hui comme hier. Du poteau à la branche, il n'y a qu'un pas que nous franchissons allégrement. Car c'est à la branche qu'on se raccroche quand on est sur le point de tomber. Vous la voyez, là, la métaphore ?

ÊTRE BOUCHÉ
à l'émeri

Dieu qu'il est désagréable de se faire dire qu'on est « bouché à l'émeri », entendez qu'on est obtus, peut-être même stupide. Mais qu'est que cet émeri vient donc faire ici ? Et d'abord, qu'est-ce que c'est ? Il s'agit en fait d'un abrasif qu'on utilisait au XIXe siècle pour rendre les bouteilles et les flacons pharmaceutiques hermétiques en polissant les bouchons avec cette roche dure. Cette expression qui date du XXe siècle prend alors tout son sens ! Quant à la formule « Il est bouché », tout court, elle existait déjà au XVIIIe siècle et désigne également un être étanche à toute pensée intelligente, c'est-à-dire complètement borné.

EN ROUTE
mauvaise troupe

« *En route, mauvaise troupe ! Partez, mes enfants perdus ! Ces loisirs vous étaient dus : La Chimère tend sa croupe.* » Qu'en termes élégants ces choses-là sont dites. C'est Verlaine qui en est l'auteur : ceci explique cela. Pourtant, l'origine de cette expression est bien antérieure à l'écriture de ce texte publié en 1884. Le mot « troupe » nous fait supposer qu'elle provient du monde militaire mais, ce qui est certain, c'est que de nombreux parents l'ont utilisée pour donner le signal de départ à leur progéniture. « *Tout le monde est prêt ? En route mauvaise troupe* », nous disait-on, petits, avant le déjeuner du dimanche chez notre grand-mère. Et, lorsqu'on l'entend encore, par hasard, on en est tout ému.

TÊTE
de pioche

À l'évidence, tous les instituteurs ont, une fois dans leur vie, prononcé cette expression à l'encontre de l'un de leurs élèves. Une « tête de pioche », c'est une tête dure, entendez une personne têtue. La pioche est un instrument en acier, formée d'un côté d'une pointe pour casser un sol dur et de l'autre d'une lame pour travailler sur le sol meuble. Les prisonniers par exemple l'utilisaient dans les bagnes pour briser les pierres. Un symbole on ne peut plus éloquent pour désigner un caractère coriace, une tête pas franchement malléable. Une expression qui a le même sens que « tête de mule » ou « têtu comme une mule », pauvre bête qui, malgré les coups de fouet, peut décider de rester immobile et ne reprendra son chemin que lorsqu'elle l'aura décidé.

BÊTE
à manger du foin

Avez-vous tenté, pour voir, de manger du foin ? Bien sûr que non ! Vous n'êtes pas stupide ! Imaginez maintenant un être humain que l'on traite de bête, ce qui n'est déjà pas très aimable, et qui serait en plus assez nigaud pour se régaler de ce fourrage qu'ingurgitent chevaux et vaches. Autant dire que cette injure est doublement insultante. Au XVIIIe siècle, date à laquelle cette expression a été inventée, on disait aussi « bête à manger des chardons », mets très apprécié des... ânes ! Animaux qu'on traite d'idiots depuis le XIIIe siècle et qui paraissent pourtant bien plus malins que quelques *homos sapiens* rencontrés au cours d'une vie.

CHAPITRE
4

Monnaie de singe

ÇA NE VAUT PAS
un fifrelin

Autant dire que ça ne vaut pas un clou. Ni tripette. À peine trois francs six sous. Bref, ça ne vaut rien. Le fifrelin est un joli mot qui, une fois n'est pas coutume, est un dérivé de la langue germanique. En effet, « Pffiferling », qui désigne une chanterelle, le champignon, signifie également « un objet sans valeur ». On dit également « je n'ai plus un fifrelin », dans le sens de « je n'ai plus un sou », expression à ne pas dire, messieurs, devant une jeune femme que vous invitez à dîner pour la première fois. Elle pourrait s'inquiéter pour l'addition. « Fifrelin » a donné naissance à un autre mot bien connu, à prononcer avec dédain : « sous-fifre », cette fois pour désigner un subalterne, une personne qui n'a pas grand pouvoir.

RICHE
comme Crésus

*I*l faut dire qu'il était drôlement riche ce Crésus. Au IVe siè-cle avant J.-C., il fut le dernier roi de Lydie, ancien royau-me grec situé sur la mer Égée. Il devait, dit-on, cette immense fortune à la rivière Pactole (sic!) d'où l'on tirait du sable fait de poussière d'or. Mais Crésus était aussi généreux. Non qu'il distribua son argent aux pauvres, la charité a ses limites, mais parce qu'il fit reconstruire le temple d'Artémis à Éphèse, monument qui deviendra l'une des sept merveilles du monde. Hélas, il perdit un fils et tout l'or du monde ne put le consoler de sa peine. On connaît l'adage « l'argent ne fait pas le bonheur ». C'est au XVIIe siècle que l'on inventa cette expression qui se dit moins souvent aujourd'hui. Sans doute aussi que les Crésus se font plus rares...

PAYER EN MONNAIE
de singe

*L*es râleurs, ceux qui se plaignent des péages sur les autoroutes, ne savent peut-être pas qu'au XIIIe siècle, il fallait s'acquitter d'une taxe pour traverser les ponts de Paris! D'où d'épouvantables embouteillages puisqu'à l'époque il n'en existait que deux. C'est le roi Louis IX, autrement dit Saint Louis, qui décida de cet octroi. Au Petit-Pont, sur l'île de la Cité, seuls les forains ou les jongleurs qui possédaient un singe étaient exemptés de payer les quatre deniers demandés, à la condition qu'ils fassent faire un numéro à leur animal. C'est ainsi qu'est née l'expression qui signifie «ne pas payer du tout, ne pas régler ses dettes et s'en moquer», l'exact contraire d'une autre expression, désuète elle aussi, «payer en espèces sonnantes et trébuchantes».

DE LA ROUPIE
de sansonnet

Tous ceux qui croient que la roupie de cette célèbre expression est une référence à la monnaie indienne se trompent ! Il est ici question d'une substance dont les gens civilisés parlent peu tant elle n'est pas ragoûtante : la goutte au nez. Nous sommes tous d'accord pour reconnaître que ce liquide qui s'échappe parfois de nos narines ne vaut rien, financièrement parlant. Quant au sansonnet, il s'agit de cet adorable petit oiseau, plus connu sous le nom d'étourneau. Le rapport entre les deux ? Personne ne le sait, même si certains supposent qu'il s'agit d'une déformation du mot « sansonnet » en « sans son nez ». « La roupie de sansonnet », c'est un objet qui ne vaut pas grand-chose, une bagatelle, en bref, de la crotte de... bique.

TIRER LE DIABLE
par la queue

C'est une bien mystérieuse expression qui signifie avoir du mal à finir ses fins de mois, à joindre les deux bouts. On pense qu'elle fait son apparition au XVIIe siècle, époque où l'on peinait à manger du pain tous les jours. Des spécialistes rappellent qu'on disait alors qu'une bourse vide contenait le diable, d'autres que « le diable » était l'autre nom d'un râteau dont se servaient les paysans pour racler les champs afin d'y trouver quelque chose à manger, leur seigneur se moquant comme d'une guigne de leur estomac vide. Bizarrement, « tirer le diable par la queue » n'avait pas tout à fait la même signification il y a quatre siècles. Cela voulait exprimer le fait de gagner suffisamment d'argent pour vivre modestement mais convenablement.

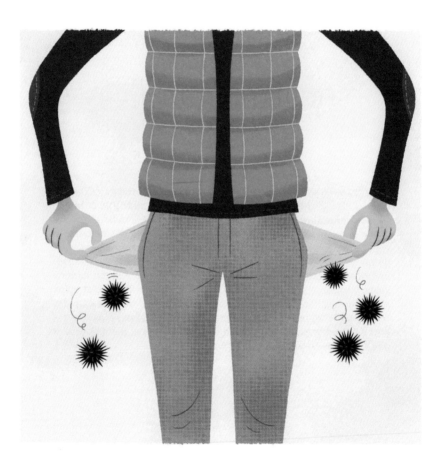

AVOIR DES OURSINS
dans les poches

Quelle jolie et imagée expression pour désigner un avare. Est-il utile de vous expliquer l'effet désagréable et même douloureux ressenti, lorsqu'on fourre ses mains dans les poches et que s'y trouve cette piquante petite bête qu'on appelle parfois hérisson de mer. À peu près la même sensation qu'un avare qui doit sortir quelques billets de ces mêmes poches : une douleur intense ! Plus littéraire pour la même signification : avare comme Harpagon, célèbre personnage de Molière et, plus argotique, rapiat. Quoi qu'il en soit, « avoir des oursins dans les poches » n'était pas un compliment jadis et ne l'est pas plus aujourd'hui. C'est même un bien vilain défaut. Peut-être même l'un des pires, ne croyez-vous pas ?

CRACHER
au bassinet

*I*l nous faut l'avouer : on a tous un jour ou l'autre « cracher au bassinet », payer quelqu'un à contrecœur. Le bassinet est, vous vous en doutiez, un petit bassin, où, il y a quelques siècles, on déposait l'aumône pendant la messe. On appellerait cela aujourd'hui le panier pour la quête. Or, quelques fidèles auraient bien passé leur tour. Mais le regard de leurs voisins les incitait à glisser une pièce dans le bassinet, de peur de passer pour des pingres, voire de mauvais chrétiens ! C'est donc contraints et forcés qu'ils donnaient quelques sous, qu'ils « crachaient au bassinet ». « Cracher » n'a pas la même signification aujourd'hui qu'au XVe siècle, où le verbe était synonyme d'« émettre », sortir sa bourse. Cette expression quelque peu déplaisante date du XIXe siècle.

ÇA FAIT
la rue Michel

*L*a rue en question existe toujours aujourd'hui et se niche à Paris, dans le IIIe arrondissement. Pour comprendre cette étrange formule, il faut connaître le nom complet de cette voie : rue Michel-le-Comte. L'expression nous vient des cochers du XIXe siècle qui, lorsqu'ils déposaient leurs clients dans cette rue, leur disaient en boutade au moment de se faire payer : « Ça fait la rue Michel », pour « Ça fait le compte », jeu de mots, bien médiocre il est vrai, avec « le Comte »... Certains l'utilisent, à présent, bien que rarement au XXIe siècle !, pour exprimer le fait que ce n'est pas la peine d'en rajouter, que c'est suffisant, en parlant d'un projet, d'un travail par exemple. On prétend aussi que l'expression aurait été popularisée et propagée par les journalistes qui l'utilisaient fréquemment, leurs bureaux étant situés à proximité, rue Réaumur. Nous espérons que cette explication vous convient. Pour nous, ça fait la rue Michel.

FAUCHÉ
comme les blés

L e terme « être fauché » qui paraît si moderne tient pourtant ses origines des années 1850. À cette époque, on comparaît un champ qui venait d'être fauché, dont il ne restait rien, à la bourse du pauvre quidam. Ce n'est qu'à la fin du XIXe siècle qu'on utilisa « être fauché comme les blés », les blés faisant référence ici, non seulement au contenu du champ, mais aussi au mot argent en argot. Et Dieu sait qu'il en existe des termes argotiques pour le symboliser : oseille, grisbi, pèze, tune, artiche, pépette, etc. À l'heure actuelle, et même si cette expression est désuète, on l'entend encore de temps en temps. Serait-ce l'effet de la crise ?

VOLEUR
comme une pie

L e bel oiseau ne nous a jamais fait de mal. Pourtant, son nom est utilisé dans des affaires litigieuses. Depuis le XVIIᵉ siècle, on lance « Tu es bavard comme une pie » à tous ceux qui ne peuvent s'empêcher de jacasser. Il est vrai que le volatile émet d'incessants cris, pénibles et soutenus. Et puis, comme si ce n'était pas assez, l'expression « voleur comme une pie » surgit dès le XIXᵉ siècle. On voudrait nous faire croire que ce bel oiseau est un chapardeur ? C'est ce qu'on disait de lui : il serait irrésistiblement attiré par tout ce qui brille et aurait tendance à ravir les bijoux étincelants. En tout cas, ceux qui traînent dans les jardins. Et puis, ouf ! Des spécialistes, après de longues recherches scientifiques, dénoncent l'absurdité de cette légende. Non, les pies seraient des corvidés tout ce qu'il y a de plus honnêtes. Leur honneur est sauf. Quant à l'expression, elle perdure. Les croyances ont la peau dure.

C'EST PAS
le Pérou

Et pourquoi pas la Colombie ou la Bolivie ? Parce que le Pérou, c'était un pays de rêve, un pays riche en or, si riche que la légende dit que son prince s'en faisait saupoudrer de la tête au pied chaque jour. C'est ainsi qu'au XVIe siècle, nombre d'Européens sont partis vers cet Eldorado, bien décidés à devenir Crésus. Comme les frères Pizarro, célèbres aventuriers espagnols qui ont conquis l'Empire inca et sont rentrés au pays pourvus de tonnes et de tonnes d'or mais aussi d'argent et d'émeraudes. Comprenez alors que l'expression du XVIIIe siècle « C'est pas le Pérou » signifie que ce n'est pas grand-chose, que cela n'a pas grande valeur. On dit parfois « C'est le Pérou » lorsqu'on est émerveillé mais c'est le plus souvent « C'est Byzance » qui est prononcé pour indiquer un endroit luxueux ou un événement favorable.

CHAPITRE
5

Que pouic

LA MORT
du petit cheval

Il y a fort à parier que beaucoup n'ont jamais ne serait-ce qu'entendu cette expression. Elle n'est pourtant pas très ancienne, on la date des années 1930. Elle signifie « courir à sa perte », « la fin de quelque chose » ou plus familièrement « C'est la fin des haricots ». On pense que son origine date de la grande époque du jeu des petits chevaux qui s'introduit dans les casinos et grâce auquel on pouvait gagner beaucoup d'argent. Mais certains joueurs avaient trouvé la parade pour tricher et s'enrichir facilement. En 1950, on supprima alors ce passe-temps rémunérateur. Ce fut la mort du petit cheval et donc, pour certains, la ruine. Rien à voir avec le roman d'Hervé Bazin intitulé ainsi, ni avec le joli poème de Paul Fort, chanté par Brassens *Le Petit Cheval blanc*, qui, effectivement, meurt foudroyé, faisant ainsi pleurer des générations d'écoliers.

COMME LA VÉROLE
sur le bas-clergé

L'expression la plus anticléricale qui soit pour définir un événement qui s'abat sur quelqu'un violemment et brutalement. La vérole est une maladie qu'on date du XVIe siècle et qui est appelée plus couramment la syphilis, bref une maladie vénérienne. Au XVIIIe siècle, certains mécréants ont ainsi imaginé que cette affection honteuse se répandait parmi les seuls hommes qui ne devaient pas en être affligés. Hostilité et malveillance, quand tu nous tiens ! Le bas-clergé en question fait référence aux prêtres des petites communes rurales, tout en bas de l'échelle de la hiérarchie. On qualifiait autrefois ce bas-clergé de breton ou d'espagnol sans que l'on sache pourquoi. On dit aussi « Comme la misère sur le pauvre monde », moins cruel pour ces pauvres ecclésiastiques et plus adapté aux enfants !

LA FAUTE
à pas de chance

On se donne du mal pour que nos enfants parlent un langage châtié, tout au moins convenable. Et voilà que nos aïeuls, pourtant plus chatouilleux que nous sur les fautes de grammaire, employaient l'expression « La faute à pas de chance » (plutôt que la faute de pas de chance) pour un oui ou pour un non. Et puis, on pense à Victor Hugo et ce célèbre refrain chanté par Gavroche dans *Les Misérables* : « Je suis tombé par terre, c'est la faute à Voltaire/Le nez dans le ruisseau, c'est la faute à Rousseau/Je ne suis pas notaire, c'est la faute à Voltaire/Je suis petit oiseau, c'est la faute à Rousseau », et on est rasséréné. Car cette erreur n'en est plus une, tant elle est figée dans notre langage. Ceux qui la prononcent sont en tout cas d'un naturel flegmatique et fataliste.

TRIFOUILLIS-*les-Oies*

C'est un trou perdu, un bled qu'on ne saurait même pas loca-
liser. « Trifouillis-les-Oies » est évidemment une commu-
ne inconnue au bataillon qui a comme des résonances de
campagne, de lieu bucolique. En tout cas un lieu où les oies
courent en liberté. Pour tous ceux que la campagne rebute, c'est un
cauchemar. Souvenez-vous de la célèbre phrase de Michel
Audiard : « *À la campagne, le jour on s'ennuie, la nuit on a peur.* » Certains utilisent aussi « Perpette-les-Oies » ou « Pétaouchnock » qui
signifie cette fois qu'il s'agit d'un endroit perdu soit, mais surtout
très éloigné. Cette amusante formule est employée par les citadins
purs et durs, et même, avouons-le, un tantinet bobos !

ATTRAPE-*nigaud*

Le nigaud est un sot. Un maladroit, un poltron. Il tire ses origines du nom propre Nicomède, un des premiers disciples de Jésus. On ne doute pas que celui-ci fut aimable. Mais peut-être un peu bêta. Pourquoi ? Simplement parce qu'il posait au Christ des questions que nous qualifierons d'ingénues même si on peut se demander si elles n'étaient pas simplement stupides. C'est à ce brave homme que nous devons ce mot de nigaud. Qu'il n'en porte pas ombrage, on dit de lui qu'il fut d'une fidélité à toute épreuve. Un « attrape-nigaud », expression entendue dès le XVIIIe siècle, c'est une ruse tellement grossière que personne ne s'y fait prendre. Sauf les nigauds, bien entendu.

À LA
saint-glinglin

O n aurait aimé vous raconter la vie de saint Glinglin, mais nos recherches ont été infructueuses. Peut-être tout simplement parce qu'il n'existe pas. Aussi, il n'a pas de journée qui lui est consacrée dans le calendrier. Vous l'aurez compris, lancer « On verra ça à la saint-glinglin » revient à dire « Quand les poules auront des dents », comprenez : jamais. Et pour couronner le tout, le « saint » en question n'en est pas un. C'est une déformation du mot « seing », qui signifie « cloche » en ancien français. Quant à « glinglin », il vient du dialecte messin « glinguer » qui signifie « sonner ». Si la cloche sonne le jour de la saint-glinglin, on n'est pas prêt de l'entendre...

C'EST
riquiqui

C'est riquiqui, entendu jadis pour définir un objet tout petit ou recroquevillé ou pour qualifier quelque chose de mesquin, s'orthographie aussi « rikiki ». Drôle de mot au passé mystérieux, même si certains affirment qu'il proviendrait de l'akkadien (la plus ancienne des langues sémitiques), « riq » désignant quelque chose de petit mais de nécessaire. D'autres pensent qu'il tire son origine tout simplement de l'eau-de-vie du même nom, très peu goûteuse dit-on, et qu'on buvait en faible quantité de peur de tomber raide mort. Quoi qu'il en soit, ce mot charmant n'est plus beaucoup utilisé, sauf peut-être par nos chérubins qui disent aussi « c'est minus ».

AU
diable-vauvert

C'est une expression très ancienne, datant sans doute du Moyen-Âge, qui est arrivée sans encombre jusqu'à nous. Son origine est assez mystérieuse. Elle pourrait faire référence au château de Vauvert, pas très loin de Paris, où, dit-on, on commettait des actes blasphématoires. Le diable y avait donc pénétré. Louis XI, las de ces légendes malsaines, le transforma en couvent ! Voilà pour le diable. Mais quid de cette expression signifiant « très loin » ou, plus familièrement, « à dache », « à perpette ». Il se trouve qu'au XVe siècle, beaucoup de villages s'appelaient Vauvert. Quand on sait le nombre d'heures qu'il fallait endurer pour quitter la capitale et se rendre en province... Tout voyage paraissait alors effroyable et donc lointain. La formule « C'est au diable », pour dire la même chose, date, elle, du XVe siècle.

PAR L'OPÉRATION
du Saint-Esprit

Quand un événement ne s'explique pas, qu'on ne sait comment cela est arrivé, on disait souvent « Par l'opération du Saint-Esprit », référence aux Évangiles lorsque Marie enfante de Jésus sans jamais avoir été fécondée, simplement par l'effet de l'Esprit saint. C'est au XVIe siècle que cette expression est consignée dans les missels des catholiques. On l'utilisa par la suite, d'abord pour les jeunes femmes célibataires qui tombaient enceintes sans père connu, on disait alors les « filles-mères », puis, par extension, de manière ironique pour toute situation suspecte dont on ne connaît pas l'origine : « Ça ne s'est quand même pas cassé par l'opération du Saint-Esprit ? »

La dernière explication me semble ...
... un tantinet fantaisiste !

EN DEUX COUPS
de cuiller à pot

Autant dire « À toute vitesse et facilement » comme dans « J'ai déblayé la neige devant ma porte en deux coups de cuiller à pot ». La cuiller dont il est question est une grosse louche qui permet de transvaser ou de servir des aliments très rapidement. Cette expression daterait du début du XXe siècle et serait apparue dans les prisons et dans les casernes (où il fallait se dépêcher d'engloutir son repas). Plus farfelu mais on adore, elle ferait allusion à la naissance du futur Henri IV. Antoine de Bourbon, son père, aurait prononcé cette phrase définitive et ô combien imagée : *« La reine a donné naissance à un prince en deux coups de cul, hier, à Pau. »* On aimerait tellement que cette origine soit la bonne ! Pour votre gouverne, sachez qu'Henri IV est né un 13 décembre 1553... à Pau, en effet !

LE PETIT JÉSUS
en culotte de velours

Les amateurs de bon vin savent tous de quoi il est question. Cette expression indique un breuvage délicieux, qui ne peut qu'exciter les papilles. Lorsque dans les fêtes de famille, un vieil oncle prononçait cette phrase, les autres convives pouvaient se ruer sans crainte sur leur verre : le côtes-du-rhône était bon. Le velours est un tissu si soyeux et si doux qui glisse sans difficulté, à peu près comme le nectar glisse vers votre estomac. Quant au petit Jésus, c'est bien sûr l'image de la bonté, de la délicatesse, de la pureté. Dans les années 1950, un vin de table, fort peu raffiné dont nous tairons le nom, avait trouvé le meilleur des slogans pour duper les chalands : « Le vin X, le velours de l'estomac ». Ici, point de référence au Christ, uniquement à la digestion, qui, dit-on, était pourtant mise à rude épreuve.

SE MONTER
le bourrichon

O n peut se le monter tout seul ou le monter à d'autres. Ce serait Flaubert qui aurait utilisé le premier cette expression comparant une tête à un bourrichon, c'est-à-dire une bourriche. Les mangeurs d'huîtres auront reconnu ce panier sans anse dans lequel on dispose les mollusques. Nos pauvres têtes ont eu de tout temps des surnoms, ce n'est pas nouveau : souvenez-vous de « cafetière », « carafe », « timbale », « bobine », « trombine »... Alors, pourquoi pas le bourrichon. « Se monter le bourrichon », c'est se monter la tête, se faire des idées, se persuader de quelque chose sans raison. « Monter le bourrichon à quelqu'un », c'est monter une personne contre une autre, ce qui n'est pas joli, joli.

KIF-KIF
bourricot

*L*orsque les soldats français rentrèrent d'Afrique du Nord au XIXe siècle, ils rapportèrent avec eux grand nombre d'expressions. L'une d'elles « Kif-kif bourricot » a résisté plus que d'autres, même si elle est peu employée aujourd'hui. « Kif » signifie « comme » en arabe. On peut traduire « Kif-kif » par « du pareil au même ». Mais que fait donc un âne dans cette affaire ? Simplement parce que les Nord-Africains disaient aussi « pareil à l'âne » pour « semblable ». On ne peut passer sous silence que le « kif » est également la traduction de « haschich » en arabe. Puis on dit « kiffer » pour désigner l'action de fumer du haschich. C'est d'ailleurs ainsi que les jeunes d'aujourd'hui ne cessent de répéter « Je kiffe », non pas, grand Dieu, pour révéler qu'ils se droguent, mais tout simplement pour exprimer le fait qu'ils aiment une chose, et même un être humain avec « Je la kiffe » lorsqu'ils ressentent des sentiments amoureux envers une demoiselle.

SE CASSER
la nénette

Cette expression un rien vulgaire signifie se décarcasser, se casser la binette. «Binette» comme «nénette», c'est la tête, en tous les cas ce qu'il y a dedans. Autant dire qu'à force de réfléchir, on pourrait bien casser quelques organes du système nerveux. «Nénette» aurait pour origine le terme «comprenette», la capacité à comprendre formulée familièrement. Cela pourrait aussi être un diminutif du mot «trombinette» qui signifie également la tête. Attention à ne pas confondre avec «se casser la margoulette» qui n'a rien avoir avec le cerveau mais tout à voir avec la chute dans l'escalier!

EN AVOIR GROS
sur la patate

La patate est un mot d'argot qui désigne le cœur. En avoir « gros sur la patate », c'est avoir le cœur gros, être triste, tourmenté par quelque chose ou quelqu'un et même rancunier. L'expression apparaît au XXe siècle, on disait aussi « en avoir gros sur la pomme de terre », plus élégant. Le mot « patate » a toujours inspiré. On se souvient de « je vais lui passer la patate chaude », pour se débarrasser de quelque chose de gênant, « quelle patate » pour quel idiot, « avoir la patate », pour se sentir en forme, devenu, on ne sait pourquoi, « avoir la frite » et, parce qu'il faut être complet, « je lui ai mis une patate », autant dire flanquer un uppercut bien senti.

SE METTRE
martel en tête

*I*maginez-vous vous donner de grands coups de marteau sur la tête. Inquiétant non ? Et bien « martel en tête » veut justement dire s'inquiéter, se faire du souci. Le « martel » est un mot ancien pour « marteau » et au XVIe siècle, il était courant de dire « se mettre martel », pour se tourmenter au point de ne penser plus qu'à ça. « Martel » désignait aussi au figuré la jalousie, mais fut bientôt abandonné. Ce n'est qu'au XVIIIe siècle que la formule s'allonge. Aujourd'hui, l'expression est un peu moins dramatique et le plus souvent de forme négative. On vous dira « Ne te mets pas martel en tête » pour que vous arrêtiez de cogiter, de vous inquiéter, même pour une broutille.

SE METTRE LA RATE
au court-bouillon

C'est une expression plus récente qu'on ne le croit, sans doute des années 1960, et formulée pour la première fois dans la célèbre série des San-Antonio de Frédéric Dard. La rate est une partie du corps à laquelle on pense rarement et on a raison, tant ce n'est pas appétissant. Hippocrate pensait que c'était là que se nichait la bile noire, autrement dit la mélancolie, la dépression. Peu à peu, la rate est devenue aux yeux de beaucoup la partie du corps qui enferme les humeurs. On disait d'ailleurs « se décharger la rate » qui signifiait se mettre très en colère. On ne sait pas quelle est la sensation obtenue si on la jetait dans un court-bouillon mais on imagine que cela doit être pour le moins doulou-reux. « Se mettre la rate au court-bouillon », c'est se faire du souci, s'angoisser. Se faire du mal, donc.

YOYOTER
de la cafetière

«Yoyoter» est un verbe inventé de toutes pièces et tient son origine du yo-yo, un des jeux les plus anciens du monde. Vous avez sûrement joué au moins une fois à ce passe-temps légèrement ridicule, qui eut un énorme succès tout au long du XXe siècle. Le mouvement de va-et-vient continu des deux disques actionné par une ficelle semble être comparé au cerveau dont les pensées divaguent, montent et descendent pour en arriver toujours au même point. On suppose aussi que ce jeu était si absurde qu'on trouvait ceux qui le pratiquaient légèrement dérangés. La cafetière étant, en langage familier, la tête, «Yoyoter de la cafetière», c'est perdre les pédales, devenir gâteux ou, moins cruel, ne pas avoir les idées claires. On dit aussi «Yoyoter de la touffe» ou «Avoir une araignée au plafond», tout aussi illustratif...

QUE *pouic*

Q uel dommage de ne presque plus entendre cette jolie expression, bien plus charmante que son synonyme « que dalle », franchement vilain. Et oui, « que pouic » signifie « rien », comme dans « Je n'entends que pouic à ce que vous m'exposez, mon cher ». On ne sait pas grand-chose de l'origine de ce mot : viendrait-elle d'une onomatopée imitant le petit cri poussé par les oiseaux comme on le suggère ? Sachez qu'elle est utilisée pour beaucoup d'autres sujets. Les humains aussi « poussent un petit couic », manière de décrire un bruit de gorge. Et puis, il y a « faire couic », pour... être mort et pas seulement par strangulation. Pour ce qui est de la formule qui nous intéresse, on ne trouve aucune trace d'explications plausibles. Sachez seulement qu'on peut dire aussi « que couic » dû à une déformation de langage oral. Enfin, en argot, le mot « couic » signifie un travail de misère mais semble avoir complètement disparu (le mot, pas le travail de misère).

BÊTE
comme chou

S i on vous dit « Tu me prends le chou », vous aurez compris que le légume sus-cité signifie « la tête », mais, ce que vous ne savez peut-être pas, c'est qu'au XIXe siècle, il désignait aussi une autre partie du corps humain : les fesses. Mais pourquoi donc « Bête comme chou », d'abord parce qu'on n'a jamais pensé qu'un chou puisse être malin, sur ce point, nous sommes tous d'accord. Jadis, l'expression voulait dire « très bête », aussi bête que les fesses. Elle n'a plus la même signification aujourd'hui puisqu'on peut la traduire par « facile comme tout ». Ce glissement d'une définition à une autre n'a jamais pu être expliqué. Il nous reste à faire des déductions : « C'est bête comme chou », c'est si facile que même les fesses peuvent le faire...

DEUX SOUS
de jugeote

Un sou ne valait pas cher, deux, pas beaucoup plus. Autant dire que « ne pas avoir deux sous de jugeote », c'est ne pas en avoir du tout. « Jugeote » est un drôle de mot, relativement récent puisqu'on pense que c'est Gustave Flaubert qui l'a inventé en 1871. Il était, d'ailleurs, coutumier du fait, adorant transformer des termes de vocabulaire français. Il voulait ainsi parler de « jugement » en terme plus enfantin. La jugeote est donc le discernement, la perspicacité. Ne pas en avoir, c'est être idiot. Mais l'expression n'est pas vraiment agressive. On dira cela à un petit enfant sans préjuger de son intelligence future ! Une manière de le houspiller pour qu'il réfléchisse avant d'agir.

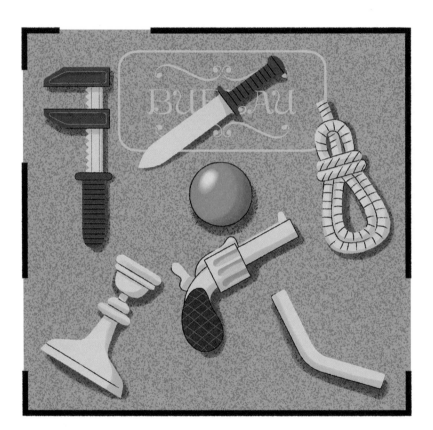

MYSTÈRE
et boule de gomme

O n dirait une citation sortie d'un livre policier. Une expression un peu enfantine et merveilleusement désuète qui reste, sans jeu de mots, mystérieuse. Saperlipopette, qu'est-ce donc que cette boule de gomme ? Des chercheurs pleins de bonne volonté ont cherché à découvrir l'origine de cette formule… en vain. Certains y voient une allusion aux voyantes. Celles-ci doivent deviner les mystères de la vie future dans une boule de cristal. Elles ne pourraient pas le faire dans une boule de gomme, matière opaque et ténébreuse. Même si nous ne sommes pas convaincus par cette explication, on sait de source sûre que la première fois que « Mystère et boule de gomme » est apparu en littérature, c'est sous la plume d'Henry de Montherlant, en 1949, dans sa pièce *Demain, il fera jour*. Belle référence.

Sommaire

CHAPITRE 1
Sur son 31

CHAPITRE 2
Conter fleurette

CHAPITRE 3
Quel loustic !

CHAPITRE 4
Monnaie de singe

CHAPITRE 5
Que pouic

SOMMAIRE

À PROPOS de...

Laurence Caracalla, auteur

Elle est née et vit à Paris. après avoir travaillé quinze ans dans l'édition, elle collabore aujourd'hui à différents journaux (*Le Figaro*, *Version Femina*, *Le Figaro Magazine*) et a écrit plusieurs ouvrages dont quelques-uns consacrés au savoir-vivre.

Pascal Gauffre, illustrateur

Diplômé de l'École Estienne et après un passage en agence de publicité, il collabore depuis plus de vingt ans avec de nombreux magazines et exprime également son art et son humour dans l'édition et la presse jeunesse.

Le Figaro – 14, boulevard Haussmann, 75009 Paris.
Directeur général, Directeur de la publication : Marc Feuillée. **Directeur des rédactions** :
Alexis Brézet. **Directeur délégué des rédactions** : Paul-Henri du Limbert.
Auteur : Laurence Caracalla. **Éditrice** : Sofia Bengana. **Éditeur adjoint** : Robert Mergui.
Directrice adjointe à l'édition : Anne Huet-Wuillème. **Édition** : Marie Guiard-Schmid.
Direction artistique : Constance Gournay. **Fabrication et pré-presse** : Delphine Couderc
et Alain Penet. **Direction de la diffusion** : Philippe Grinberg.
Directeur des ventes : Laurent Nocca.
ISBN : 978-2-8105-0743-6. Achevé d'impression en décembre 2015
sur les presses de l'imprimerie POLLINA, France.L74326.